Conception graphique : Frédérique Deviller et Père Castor



Éditions Flammarion (n° L.01EJDNFP2751.C012)
87, quai Panhard-et-Levassor – 75647 Paris Cedex 13
www.editions.flammarion.com
Dépôt légal : octobre 2005 – ISBN : 978-2-0816-2751-2
Imprimé par Tien Wah Press à Singapour – 03/2010
Loi n°49-956 du 16 juillet 1949 sur les publications destinées à la jeunesse.

# Petites histoires du Père Castor pour endormir les petits

Père Castor ■ Flammarion

# 1.

## Le géant va venir ce soir...

Claire Clément, illustrations d'Elisabeth Schlossberg

Petit-Louis met ses bottes et son casque, il prend son bouclier et son épée.

Il est le Chevalier Noir et, comme tous les soirs, il attend le Géant.

Soudain...

**Boum, boum, boum !**

C'est le pas du Géant ! Il arrive, il est là !

Vite, Chevalier Noir se cache derrière la porte.

Le Géant ouvre la porte, il entre dans la maison, il renifle à petits coups, il dit de sa grosse voix :
– Ça sent le Chevalier Noir… Si tu es là, Chevalier Noir, montre-toi !

Derrière la porte, Chevalier Noir ne bouge pas.
Mais d'un grand coup de pied, le Géant ferme la porte.

Et voilà Chevalier Noir face au Géant !

**– À l'atttaaaaaqueeeuuuuu !**

Le Géant se frotte les mains, tout content :
– Ho, ho, ho ! dit-il. Il y a un Chevalier Noir, là… que je vais emmener dans mon pays, en Zizanie. Allons, petit Chevalier Noir, viens par ici…

Chevalier Noir n'est pas d'accord. Ah ça, non!
Il pousse son cri de guerre:
**– À l'atttaaaaaqueeeuuuuu !**
Et hop, il bondit entre les jambes du Géant!
Il court, il court...
Il connaît une cachette.
**Ha, ha !** Bien malin qui le trouvera!

Dans sa cachette, Chevalier Noir rit comme une baleine.
**Ha, ha, ha ! Hi, hi, hi ! Ho, ho, ho !**
Mais le Géant a l'oreille fine. Il s'approche de la cachette.
Chevalier Noir s'arrête de rire, il s'arrête de respirer... Trop tard!
Le Géant l'a vu...
Ho hisse! Il tire Chevalier Noir, il le traîne jusqu'à lui!
Et hop là, il l'envoie en l'air! Une fois, deux fois...

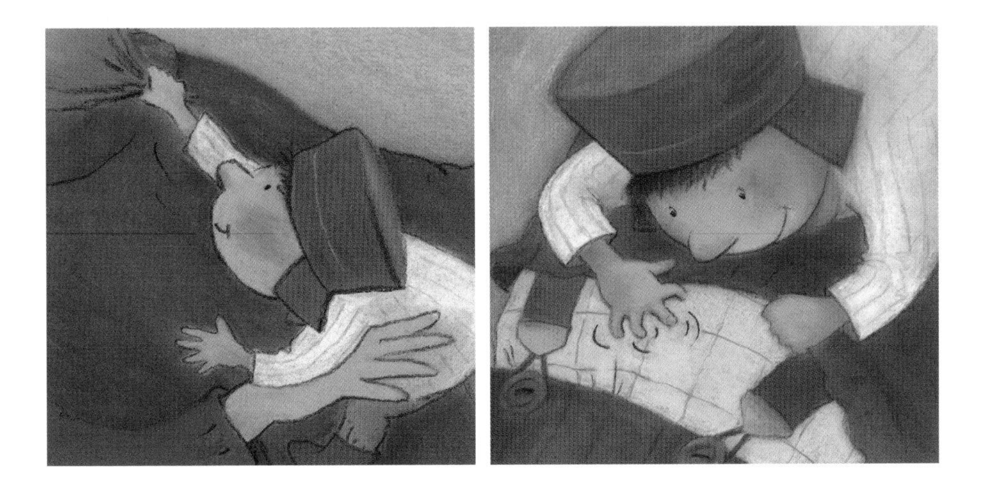

La troisième fois, Chevalier Noir pousse son cri de guerre :

**– À l'atttaaaaaqueeeeuuuuu !**

Il tire sur la barbe du Géant qui crie :

– Ouille, ouille, ouille !

Il tire sur ses cheveux.

– Aïe, aïe, aïe !

Le Géant ne se laisse pas faire. Ah ça, non !

Il met Chevalier Noir sur son épaule comme il porterait un sac de pommes de terre, et il crie :

– C'est fini, c'est du tout cuit, en avant pour la Zizanie !

Chevalier Noir ne veut pas aller en Zizanie. Ah ça, non !

Il se tortille comme un serpent, et il glisse ses mains sous le gros pull du Géant. On dirait des petites bêtes qui se promènent partout, et qui chatouillent... beaucoup, beaucoup !

Le Géant faiblit, il devient tout mou, il supplie à genoux :

– Pitié, non, pas ça, pitié...

Chevalier Noir n'a pas de pitié. Ah ça, non!
Il monte sur le dos du Géant.
Alors? C'est qui le plus fort?
C'est Chevalier Noir ou c'est le Géant?

**Patatras !**
Le Géant tombe par terre. Il rit, il n'en peut plus. Il est vaincu.

Alors Petit-Louis pousse un cri de victoire:
**– Papa !**

# 2.

# La petite souris qui a perdu une dent

Clair Arthur, illustrations de Marc Boutavant

Oh ! il est l'heure ! Vite, Noisette enfile son sac à dos à dents.
Aujourd'hui, Zaza, cette chipette à couettes, a perdu une dent sur le devant.
Un clic, deux clics, la petite souris ferme la porte de son nid.
Elle habite dans le noir, sous la baignoire.

Elle se dépêche. Minuit est passé.
Ses pattes glissent sur le carrelage. Elle connaît le couloir. Elle fonce. À gauche toute, la chambre de Zaza.
Ça va, tout est calme.
**Hop!** par-dessus les ours, les crocodiles et les pandas.
Mais quand est-ce qu'elle range sa chambre, cette chipette?

Un bond. **Plouf!** sur la couette. Heureusement, Zaza dort comme un ange. Alors, où est-elle, cette dent? Noisette s'enfonce sous l'oreiller. Mais où est-elle?
Ah, ça sent la dent de lait, par ici. La voilà.
– Mon sac à dos à dents..., murmure la souris.
Ho! hisse! la dent dedans... et le tour est joué.
– Nom d'un fromage qui rit! s'exclame Noisette. J'ai oublié la pièce! Il faut que je retourne la chercher chez moi. Ah! là, là! Quand est-ce que je vais dormir?

Noisette saute au bas du lit. Elle bondit par-dessus les ours, les crocodiles, les pandas… Le couloir, à fond la caisse. La salle de bains…

Catastrophe! La petite souris s'écrase le nez contre une mule. Mais qui a laissé traîner cette sandale au milieu du chemin ? Rien n'est jamais rangé dans cette maison.

– Oh non! crie Noisette. Je me suis décroché une dent!

Vite, vite! la petite souris range sa dent avec celle de Zaza. Vite, vite! **Clic, clic!** elle rentre dans son nid. Elle ôte son sac à dos à dents. Elle enfile son sac à dos à pièces.

**Clic, clic!** Attention à la sandale, la petite souris fonce dans le couloir. Les peluches, un bond, deux bonds, elle est revenue sous l'oreiller de Zaza.

Le sac à dos à pièces... Et **zou !** la pièce sous les plumes. Mission accomplie.
Zaza, demain à son réveil, trouvera un beau sou tout neuf.

**Tac, tac !** par-dessus les ours, les peluches, elle rentre au nid.
**Ouf !** quelle nuit ! Elle s'allonge sur le paquet de lentilles qui lui sert de lit. Elle soupire.

Elle essaie de dormir. Mais une chose l'empêche de fermer l'œil : sa dent.
Alors, Noisette se lève. Du sac à dos à dents, elle sort sa canine, cassée net à la base. Une si belle canine...
Ça non, elle ne va pas la ranger sur le tas de dents que Zaza et ses frères et sœurs ont déjà perdues.

Noisette a une idée. Elle sait où elle va la mettre, sa dent.
Sous son oreiller de semoule de couscous...
Comme ça, elle aura un sou elle aussi. Enfin, peut-être.

Mais qui va lui apporter la pièce?

Cette question empêche encore la petite souris de dormir. Elle guette. Elle fait semblant de fermer les yeux. Elle les garde un tout petit, tout petit, tout petit peu ouverts. Par la toute petite, toute petite, toute petite fente, elle surveille les quatre coins de son nid.
– Si quelqu'un se pointe avec une pièce, je ne peux pas le manquer, pense Noisette.

Au bout d'un moment, la toute petite, toute petite, toute petite fente se réduit. Et se ferme.
La petite souris dort.

Pressée, pressée, qui passe, **aïe!** sous la porte du nid de la petite souris? **Aïe, aïe!** Qui se glisse donc sous la porte et, **zut!** coince son sac à dos à pièces?
Ah! là, là! le sou est bien trop gros. Passera pas.
Qui tire, tire sur le sac, de toutes les forces de ses huit pattes?
Hooooo! hhhhhiiiiisse!

Ça y est, la pièce est passée, mais le sac est cassé.
Et Suzette, l'araignette, s'est cassé la binette… et les lunettes.
– Ma dent, j'ai perdu une dent, se lamente Suzette. Voilà ce qui arrive quand je suis trop pressée.
**Aïe! hop!** l'araignette, qui s'est fait mal au dos, dépose sous l'oreiller de Noisette un sou de souris bien brillant.

Sans lunettes, sa dent dans une chaussette, Suzette repasse, **aïe, aïe!** sous la porte du nid de la souricette.
**Aïe, aïe!** mais quel métier…
– Dès que je rentre dans ma toile, je me couche, dit Suzette. Mais avant de dormir, je mets ma dent sous mon fil.

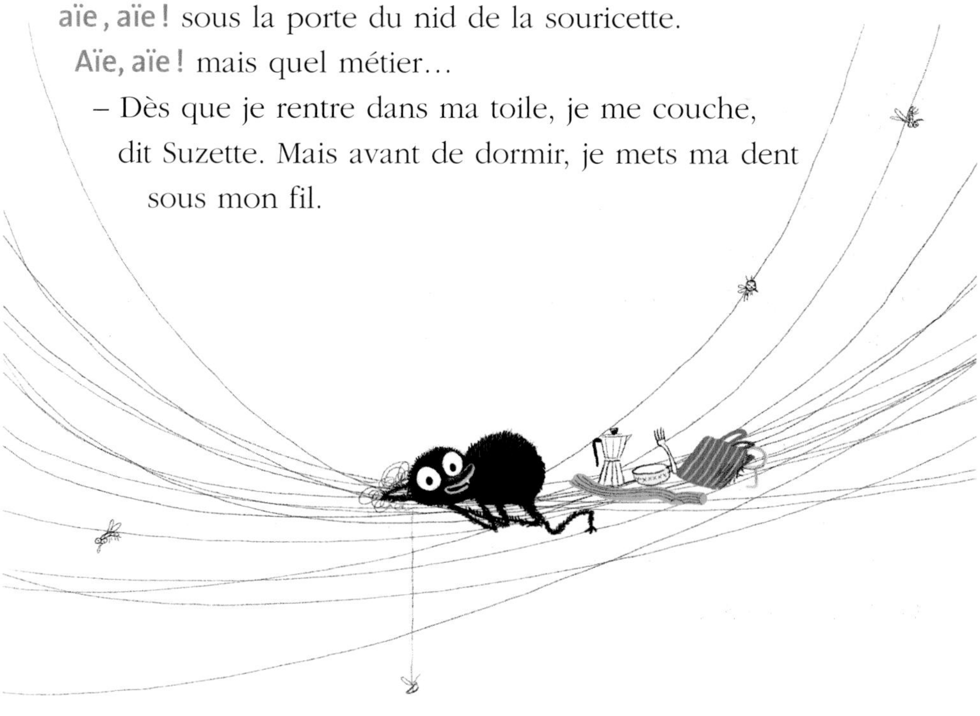

# 3.

# Le loup de la tapisserie

Michel Piquemal, illustrations de Bruno Gibert

Un soir, juste au moment de s'endormir, Benjamin aperçoit une drôle de tache grise sur la tapisserie.

« Tiens, on dirait un loup ! »

Benjamin approche son œil tout près, tout près.

« Mais oui, c'est un loup ! Il y a un loup dans la tapisserie. »

Vite, il appelle sa maman :
– Regarde Maman, là, entre les étoiles, il y a un loup !
– Allons, lui dit-elle, ce n'est rien, rien qu'une tache, une toute petite tache de rien du tout ! Dors, Benjamin ! Dors !

Mais non, c'est bien un loup. Benjamin en est certain. Chaque nuit, il l'entend qui appelle : **« Hou ! hou ! hou ! »**
Le loup est sans doute prisonnier. Il veut sortir. Mais que peut faire Benjamin ? Il n'a pas de pouvoirs magiques pour le délivrer.
Alors, il se contente de lui dire :
– Chut ! Sois gentil ! Je veux dormir.
Et le loup se tait.

Mais, au beau milieu d'une nuit de pleine lune, le loup se remet à hurler : « Hou ! hou ! hou ! »
Les yeux tout pleins de sommeil, Benjamin se tourne vers la tapisserie.
– Mais qu'est-ce que tu as ? Allons, tiens-toi tranquille !

Cela n'y fait rien.
Le loup continue à pousser ses « Hou ! houou ! houououou ! houououou ! »
Et ils sont si tristes, si plaintifs que Benjamin en est très ému.
«Il a peut-être un gros chagrin» se dit-il.
– Tu veux un câlin, mon loup-garou?

Il se tourne vers le papier peint et...
Smack ! il embrasse la tête du loup.

Miracle !
Voilà le loup délivré.
Il sort de la tapisserie et vient faire des cabrioles sur la moquette de la chambre.

Benjamin n'est pas très rassuré.
Il regarde, avec des yeux ronds, ce gros animal tout poilu, aux crocs brillants et pointus.
Ne raconte-t-on pas, dans les histoires, que les loups mangent les petits enfants?

– Si… si vous avez faim, Monsieur le… le loup, bégaye-t-il, il reste des hamburgers au… au congélateur.

– N'aie pas peur, lui dit le loup en riant. Je ne vais pas te croquer.

– Vous êtes sûr de ne pas avoir un petit creux dans votre gros ventre ? Il y a aussi des boîtes de pâté dans le placard...
– Non, je te dis... un méchant sorcier m'avait enfermé, et ton baiser m'a délivré. Je veux te récompenser.

Le loup sort de sa poche une petite image...
– Mais c'est votre photo ! s'exclame Benjamin.
– Tout juste, répond le loup.

Il lèche le dos de l'image avec sa grosse langue rouge et...
**Clac !** il la colle sur le mur, juste à l'endroit d'où il est sorti.

– Tu vois, dit-il au petit garçon, c'est un loup mangeur de cauchemars. Il veillera sur toi. Si un mauvais rêve vient t'embêter... Crac! il n'en fera qu'une bouchée.
– Oh! chouette! s'écrie Benjamin. Comme ça, je n'aurai plus jamais peur, même quand il y aura le tonnerre et les éclairs...

Benjamin voudrait le remercier, lui serrer la patte.
Mais pffttt ! la fenêtre s'est ouverte, et le grand loup a déjà disparu.

Alors, Benjamin fait un gros bisou à l'image de la tapisserie, et se rendort, en souriant.

4.

# Je m'ennuie dans mon lit

de Geneviève Noël, illustrations de Hervé Le Goff

**Ding dong !** il est minuit, l'heure du dodo.
Pourtant, Mélanie Souris n'arrive pas à dormir.
Elle crie :
– J'm'ennuie dans mon lit ! J'sais pas quoi faire !

Les yeux lourds de sommeil, Maman Souris soupire :
– Le lit, c'est fait pour dormir !

– Avant de dormir, j'veux faire un p'tit pipi, dit Mélanie.
Et elle se balance sur son pot en chantant :
– J'ai pas sommeil, pas sommeil ! Aussi, avant de m'endormir, je vais m'amuser sur mon lit.

**Hop !** elle bondit sur sa couette, elle rebondit sur son oreiller, elle fait six pirouettes, dix galipettes.

Puis elle crie :
– Avant de m'endormir, j'veux manger du gruyère, du camembert, des pommes de terre.

Quand elle a tout dévoré, Mélanie Souris se blottit dans son lit, puis elle dit :
– Ça y est, j'ai sommeil !
Et **plouf !** elle s'endort en une minute.

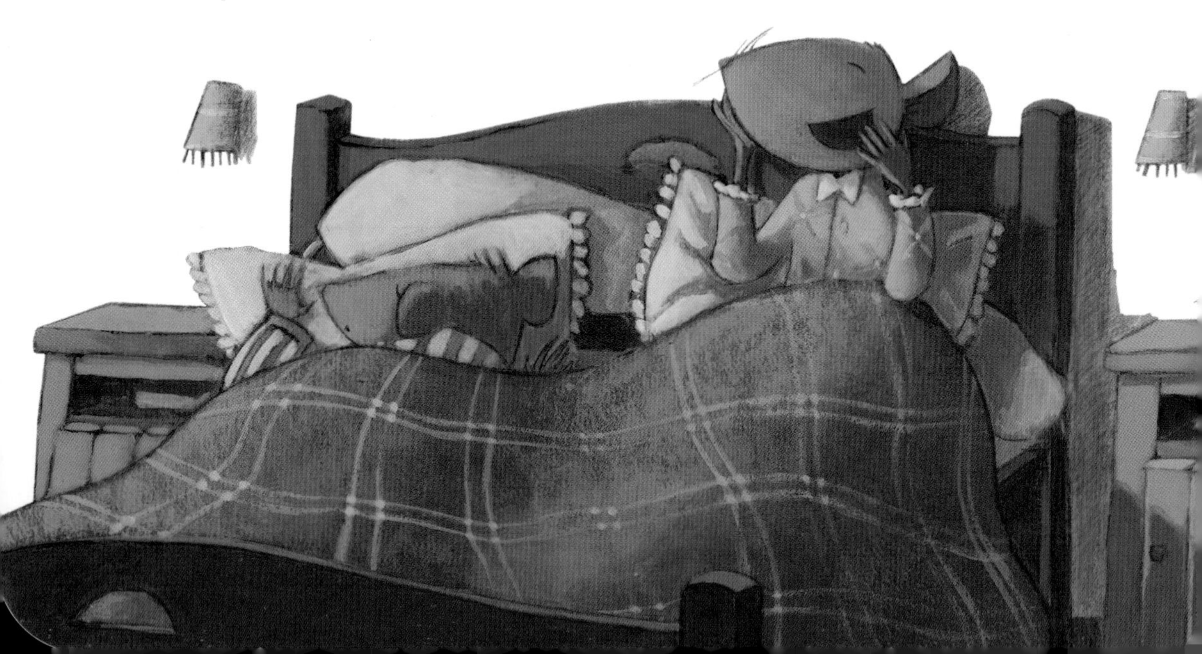

Ravie, Maman Souris se dit :
« Chic, je vais pouvoir dormir, moi aussi. »
Et elle se blottit dans son lit, elle ferme les yeux, elle se tourne, elle se retourne...
Mais impossible de dormir ! Alors, Maman Souris éclate de rire.
Vite, elle bondit sur sa couette, elle rebondit sur son oreiller, elle fait six pirouettes et dix galipettes.
Encore plus vite, elle grignote du gruyère, du camembert et des pommes de terre. Puis elle se dit :
– Ça y est, j'ai sommeil !

Et **plouf !** elle s'endort en une minute.

# 5.

# Tu m'aimes, dis ?

Simone Schmitzberger, illustrations d'Anne Letuffe

– Dis, Maman, tu m'aimes?
– Oui, je t'aime, Petit Ourson.
– Pourquoi tu m'aimes?
– Parce que tu es doux et bien chaud, que tu sens bon la noisette…
– Et pourquoi encore?
– Parce que tu as des étoiles dans les yeux quand je dis ça! Parce que tu es mon petit ourson chéri!

– Et Linours, tu l'aimes?
– Oui, j'aime Linours.
– Pourquoi tu aimes Linours? Elle est pas ta petite chérie, elle?
– Je l'aime, parce qu'elle est ta copine.
– Tu l'aimes autant que moi?
– Non, tu sais bien que je t'aime plus que tes copines!

– Et Loursane, tu l'aimes?
– Bien sûr que j'aime Loursane!
– Pourquoi tu l'aimes, c'est pas ma copine?
– Petit fou, j'aime Loursane parce qu'elle est ma soeur! Nous avons la même maman. Tu sais, quand nous étions petites, nous dormions dans le même lit...

– Comme toi et Papa?
– Oui, comme Papa et moi... mais ce n'est pas tout à fait pareil. Papa et moi, nous n'avons pas la même maman!
– C'est qui ta maman?
– Mais tu le sais bien, c'est Mamie-Gâtours!

– Alors... pourquoi tu aimes Papa? Vous n'avez pas la même maman, et tu ne le connaissais même pas quand tu étais petite!...
– C'est une question difficile...
– Moi, je sais, tu l'aimes parce qu'il est mon papa, hein?
– Oui. Maintenant je l'aime aussi pour ça, mais quand je l'ai rencontré, il n'était pas ton papa, puisque tu n'étais pas né!
– Alors, dis-moi pourquoi tu as voulu qu'il soit mon papa?
– Parce qu'il avait un beau sourire et, dans ses yeux, je voyais d'autres sourires qu'il ne faisait que pour moi... Et aussi parce qu'il faisait de jolis dessins, et que c'était aussi beau que ce qu'il y avait dans sa tête.

– Oh ! je vois bien que tu préfères ses dessins aux miens!
– Non Petit Ourson, j'aime aussi tes dessins car ils parlent de toi et de ce que tu aimes.

– Et madame Bombinours, tu l'aimes?
– Oui, je l'aime bien.
– Pourtant, elle est pas ta sœur!
– Non, c'est juste notre voisine.
– Pourquoi tu l'aimes bien?

– Parce qu'elle est gentille, et qu'elle a toujours quelque chose à donner, un gâteau, un sourire…

– Et le vilain monsieur de l'ascenseur qui ne dit jamais bonjour, tu l'aimes?
– Non, pas beaucoup… mais c'est peut-être parce que je ne le connais pas.

– On a le droit, hein, de ne pas aimer quelqu'un?
– Oui, on a le droit de choisir ceux qu'on aime.
– Et ceux qu'on n'aime pas, on a le droit de les attaquer?
– Mais non, petit coquin! Tu n'es pas obligé d'inviter ceux que tu n'aimes pas à faire la fête avec toi, mais tu ne dois pas leur faire de mal.

– Et si je les invite à mon anniversaire?
– Ils se mettront peut-être à t'aimer, et toi aussi!
C'est une belle idée!

– On aime combien de gens?
– Ça dépend du cœur qu'on a… Il y a des gens qui ont de la place et d'autres pas. Parfois, on a un grand cœur, mais il y a quelqu'un dedans qui tient toute la place…

– Papa, il tient toute la place, hein, dans ton cœur?

– Non, quand tu es né, il s'est poussé pour te faire la place qu'il te faut… Et maintenant tu vas dormir, Petit Ourson!

– Oui, mais dis-moi encore que tu m'aimes!

– Je t'aime, mon petit ourson chéri, bonne nuit…

6.

# Pas dodo !

Magdalena, illustrations de Laurent Richard

– C'est l'heure de la sieste ! dit Maman Lapin.
– Non, pas tout de suite, je joue ! dit Bébé Lapin en déballant.

– Viens faire une petite sieste, dit Maman Lapin.
– Non, non, j'ai pas le temps, je range ! dit Bébé Lapin en farfouillant.

– Bébé Lapin ! viens dormir avec ton ours, dit Maman Lapin.
– Non, pas maintenant, je dessine ! dit Bébé Lapin en gribouillant.

– Allez, il faut te reposer un peu, dit Maman Lapin.
– Non, je suis pas fatigué, j'ai du travail de grand ! dit Bébé Lapin en nettoyant.

– Viens quand même me faire un gros câlin, dit Maman Lapin.
– Bon, d'accord, mais un petit alors, dit Bébé Lapin en grimpant sur les genoux de Maman.

Maman lit une histoire d'ours à Bébé Lapin.

– Et maintenant au lit! dit Maman Lapin.
– Non, pas dodolit, dodocanapé, dit Bébé Lapin en s'allongeant contre Maman.

Quand Maman Lapin s'est endormie, Bébé Lapin se relève sans bruit.
– C'est l'heure de dodoours! dit Bébé Lapin en cherchant un bon lit pour son ours.

Bébé Lapin couche son ours sur la table du salon.
– Non, dododur ici!

Bébé Lapin couche son ours dans le tiroir de l'armoire.
– Non, dodonoir ici!

Bébé Lapin couche son ours dans le panier à linge.
– Non, dodomou ici!

Bébé Lapin couche son ours dans la bassine en plastique.
– Non, dodomouillé ici!

Bébé Lapin s'allonge sur le tapis.
– Juste bien tapislit ici.

Bébé Lapin couche son ours sur lui.
– Dodolapin bondodo!

Et Bébé Lapin s'endort aussitôt.

# 7.

# Le marchand de sable

Dominique Dupriez, illustrations de Myriam Mollier

Ce soir, Valentine n'arrive pas à dormir. Elle souffle et soupire, mais le sommeil ne vient pas. Alors Valentine allume sa lampe de chevet, elle s'assoit sur son oreiller, et se met à pleurer.
Oh! pas très fort, mais juste assez pour que le marchand de sable l'entende et vienne s'installer sans faire de bruit, là, sur le bord de son lit.
– Je n'arrive pas à dormir, lui dit Valentine.

Puis elle raconte que son lit est trop petit, qu'elle en voudrait un très grand, comme celui de Papa et Maman.
– Trop petit ! murmure le marchand.
Alors il jette une poignée de sable sur le lit de Valentine…

Et le lit devient immense.
«C'est un lit de géant», se dit Valentine.
À quatre pattes, elle cherche une place sous la couette, sur le bord, au milieu, et même tout au fond du lit. Elle tourne et se retourne, elle transpire et se lamente :
– Ce lit est trop grand et j'ai trop chaud maintenant.
– Trop chaud ! murmure le marchand.
Alors il répand quelques grains de sable sur le front de Valentine…

Soudain, plus de couette ni d'oreiller. Les murs et le plafond de la chambre ont disparu. Le lit flotte dans la nuit comme un tapis volant. Valentine respire maintenant l'air frais, mais elle trouve qu'il fait trop noir.

– J'ai peur, gémit Valentine, et j'ai besoin de lumière pour m'endormir!
– De la lumière! murmure le marchand.
Alors il dépose quelques grains de sable sur les paupières de Valentine…

Lorsqu'elle ouvre les yeux, c'est un véritable feu d'artifice autour du lit de Valentine.
Des lumières jaillissent de partout. Des jaunes, des rouges, des vertes et même des bleues. Quel spectacle!
Valentine crie des «oh!» et des «ah!», et finit par avoir un petit creux à l'estomac.

– J'ai faim! s'exclame-t-elle.
– Faim! murmure le marchand.
Alors il met quelques grains de sable sur la bouche de Valentine…

Aussitôt, le lit de Valentine est envahi de bonbons, de gâteaux à la crème, de glaces au chocolat et de biscuits à la fraise. Valentine mange de tout, et surtout beaucoup trop. Elle mange tellement qu'elle en devient malade.

Le marchand glisse donc un petit tas de sable sur le ventre de Valentine…

Mais Valentine proteste :
– Non, c'est mon lit que je veux. J'y serais bien mieux.
Alors le marchand souffle un grand coup sur le petit tas de sable.
Le sable s'envole et emporte avec lui le mal de ventre de Valentine.

En un instant, Valentine retrouve son lit. Il n'est ni trop grand ni trop chaud. Dans sa chambre, il fait noir juste comme il faut. À la place du marchand de sable, la maman de Valentine est assise sur le bord du lit.
Elle raconte une histoire.

Lorsqu'elle a terminé, Valentine dit :
– Maman, tu sais, le marchand de sable est passé.
– Alors bonne nuit, répond sa maman en l'embrassant.
Et Valentine s'endort doucement.

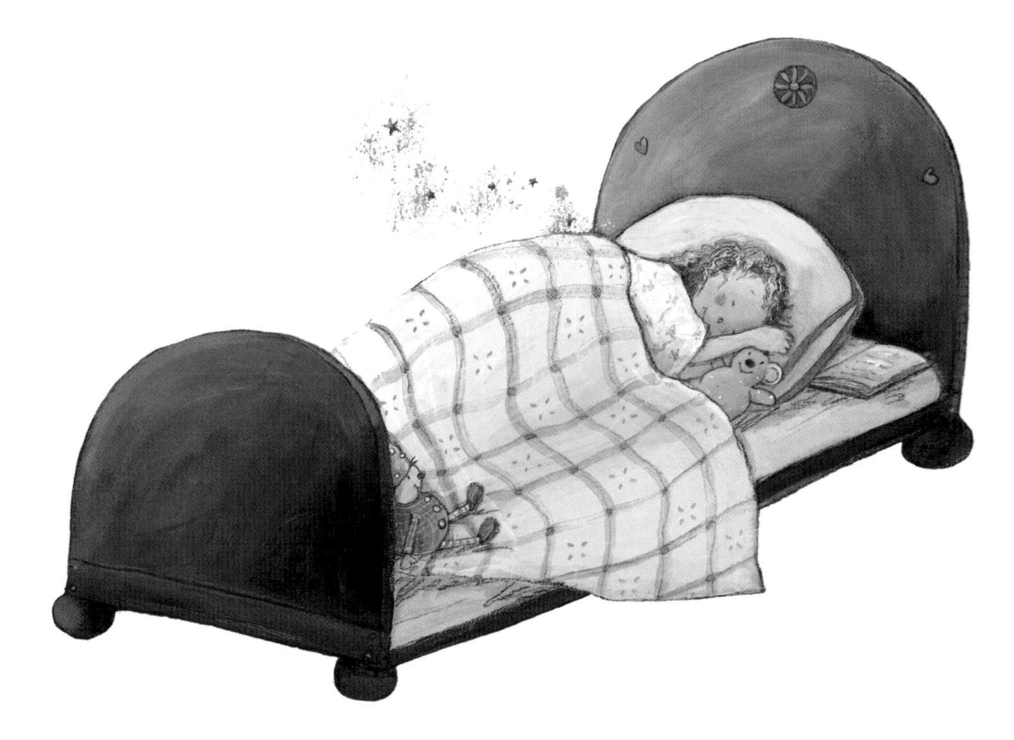

# 8.

# Histoire du Bébé Ours

Amélie Dubouquet, illustrations d'Annick Bougerolle

**Pa-ta pa-ta, pa-ta pa-ta...**

C'était le bruit des pas de Papa Ours qui commençait à rentrer à la maison.

**Pa-ta pa-ta, pa-ta pa-ta...**

C'était le bruit un peu moins fort des pas de Maman Ourse qui commençait à rentrer à la maison, derrière Papa Ours.

Et voilà que ni Papa Ours ni Maman Ourse, n'entendirent derrière eux le tout petit **Pa-ta pa-ta** des pas de Bébé Ours.

– Où est Bébé Ours? dirent ensemble le papa et la maman.
– Je suis déjà rentré! cria la petite voix de Bébé Ours. Je suis rentré chez moi!
– Bébé Ours, où es-tu? crièrent ensemble Papa Ours et Maman Ourse.

– Ici! chez moi! cria la voix perçante de Bébé Ours.

Papa Ours et Maman Ourse ont tourné la tête, et voilà que le bout du museau de Bébé Ours sortait d'un trou rond, un trou juste assez grand pour laisser passer un Bébé Ours. Bébé Ours était bien installé dans une toute petite maison qu'il s'était faite dans un gros tronc d'arbre qui était creux.

C'était ça la maison de Bébé Ours.

– Ce n'est pas une maison! dit Papa Ours.
– Ce n'est pas tout à fait une maison! dit Maman Ourse.
– Pour moi c'est une maison! dit Bébé Ours.
– Alors tu nous la montreras demain, veux-tu? dit Maman Ourse.

Et Bébé Ours sortit de son trou, et rentra tout droit chez ses parents, et s'endormit dans son vrai lit.

9.

# La sieste des mamans

Agnès Bertron-Martin, illustrations d'Olivier Tallec

Au bord d'un fleuve d'Afrique, immense et chaud, trois petits crocos vivaient comme des pachas!
Chaque matin, leur patiente maman crocodile leur apportait une ration de poisson frais, quelques cuisses de gazelles, et un jus de serpent qu'elle avait pressé elle-même. Puis Maman Crocodile astiquait leurs dents, une par une. Les dents, c'est très important pour les crocodiles. Pas question d'avoir des caries.

Chaque petit croco avait une centaine de dents, et Maman Crocodile passait un sacré bout de temps à les astiquer patiemment.
Ensuite les petits crocos faisaient la première sieste de la journée, dans la bonne eau du fleuve.
**Hum, quel plaisir !**

Maman Crocodile aurait bien voulu en faire autant!
Hélas, trois fois hélas! il ne se passait pas un moment, sans que l'un des trois crocos ait un urgent, un indispensable, un irrépressible besoin de sa maman.
Parfois un des crocos avait son dos qui le grattait. Alors il se mettait à pleurer d'énormes larmes de crocodile qui auraient fait déborder le fleuve si Maman Crocodile ne s'était pas précipitée.

Et ce n'est pas tout ! En plus des larmes, les petits vagissaient un « Maman » tellement attendrissant que Maman Crocodile ne pouvait pas résister ! Elle cavalait immédiatement au secours de ses petits crocos chéris !

À eux trois, les petits crocos faisaient six repas, douze siestes, et leur maman devait les aider une vingtaine de fois par jour.
Ah ! vraiment, les petits crocos vivaient comme des pachas ! Mais pas leur maman !

Pas très loin de là, dans la savane sèche et blonde d'Afrique, trois éléphanteaux vivaient comme des rois !
Chaque matin, leur courageuse maman éléphant parcourait des kilomètres pour récolter d'énormes quantités de bouillie de mangues, de sirop de dattes et de crème d'ananas. De quoi nourrir l'énorme appétit de ses éléphanteaux chéris.

Quand ils avaient bien mangé, Maman Éléphant repartait faire une énorme provision d'eau pour les laver. Il fallait de l'eau pour leurs oreilles immenses, pour leurs trompes très, très longues, pour leurs douze lourdes pattes et pour leurs queues très délicates. Et Maman Éléphant passait un sacré bout de temps à les frotter.
Ensuite les éléphanteaux faisaient une première sieste dans la brûlante savane dorée.
**Hum, quel plaisir !**

Maman Éléphant aurait bien voulu en faire autant !
Hélas, trois fois hélas ! il ne se passait pas un moment, sans que l'un des trois éléphanteaux ait un urgent, un indispensable, un irrépressible besoin de sa maman.
Parfois un des éléphanteaux avait trop chaud et il lui fallait un bain de boue.
Parfois un des éléphanteaux avait trop peur du lion qui rôdait.
Parfois un des éléphanteaux avait trop mal à une de ses défenses qui pointait !
Alors, les éléphanteaux se roulaient par terre. C'était un véritable tremblement de terre qui aurait pu fendre en mille morceaux la terre sèche de la savane d'Afrique si Maman Éléphant ne s'était pas précipitée.

Et ce n'est pas tout! Les éléphanteaux barrissaient un monumental « Maman » qui résonnait comme le tonnerre. Maman Éléphant ne supportait pas un vacarme pareil. Alors elle se précipitait pour calmer ses éléphanteaux chéris.

Chaque jour, les éléphanteaux faisaient, à eux trois, six repas, douze siestes, et leur maman les calmait une vingtaine de fois. Ah ! vraiment, les éléphanteaux vivaient comme des rois ! Mais pas leur maman !

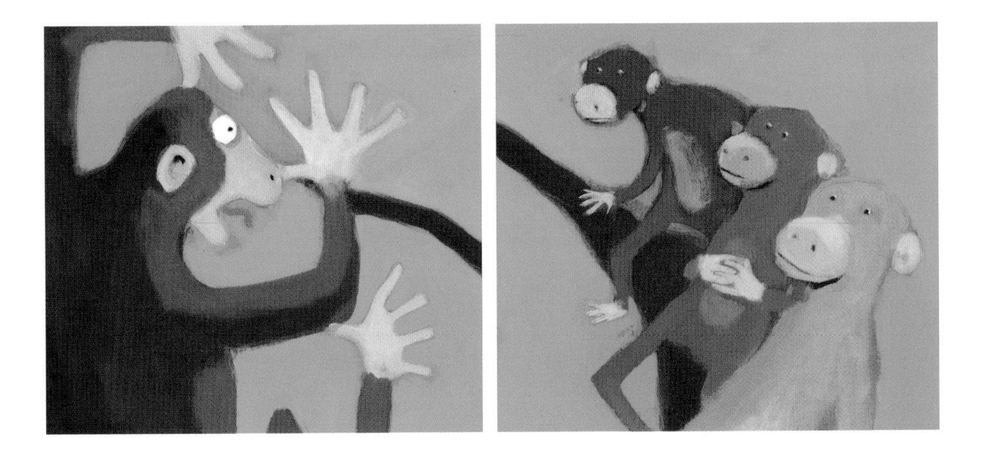

Dans la forêt d'Afrique vaste et touffue, trois petits singes vivaient comme des empereurs au sommet des arbres.
Chaque matin, leur adroite maman singe pelait une centaine de bananes qu'ils avalaient coup sur coup. Puis elle enlevait de leurs poils une centaine de poux. Ensuite, elle leur apprenait une centaine de grimaces. C'est très important les grimaces pour un singe, et il faut s'entraîner tous les jours pour remuer sa figure avec agilité !

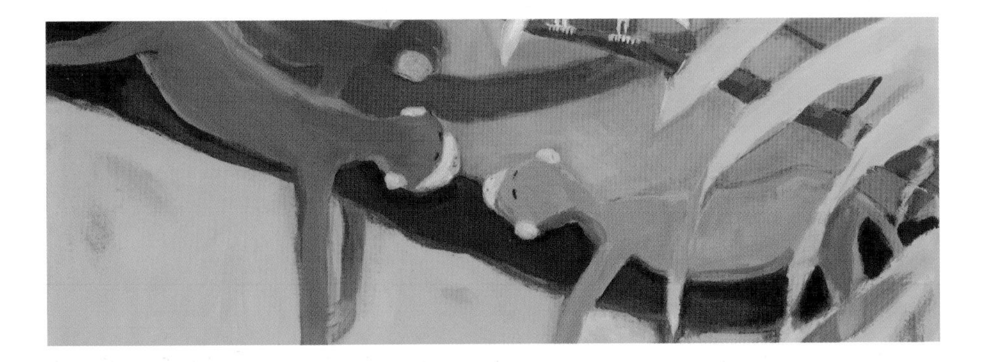

Ensuite les petits singes faisaient leur première sieste dans la fraîcheur d'un bananier.
**Hum, quel plaisir !**

Maman Singe aurait bien voulu en faire autant !
Hélas, trois fois hélas ! il ne se passait pas un moment sans que l'un des trois petits singes ait un urgent, un indispensable, un irrépressible besoin de sa maman.

Car les petits singes malins faisaient semblant de dormir, puis ils s'échappaient pour faire des farces... Ils emmêlaient le corps du python, tiraient les moustaches du léopard, ou mordaient la queue du tigre. Leur vie était souvent en danger.

Quand cela arrivait, les petits singes grimaçaient d'épouvante en criant un «Maman» tellement strident que l'adroite Maman Singe s'élançait immédiatement dans les branches pour sauver la vie de ses petits singes chéris.

À eux trois, les petits singes faisaient six repas, douze siestes et une vingtaine de blagues par jour.
Ah ! vraiment, ils vivaient comme des empereurs ! Mais pas leur maman !

Un jour, au bord du fleuve, un jour, dans la savane, un jour, dans la forêt, les mamans en eurent assez, trois fois assez!
Maman Crocodile dit:
– J'ai beau être patiente, je n'en peux plus!
Maman Éléphant dit:
– J'ai beau être courageuse, je n'en peux plus!
Maman Singe dit:
– J'ai beau être adroite, je n'en peux plus!

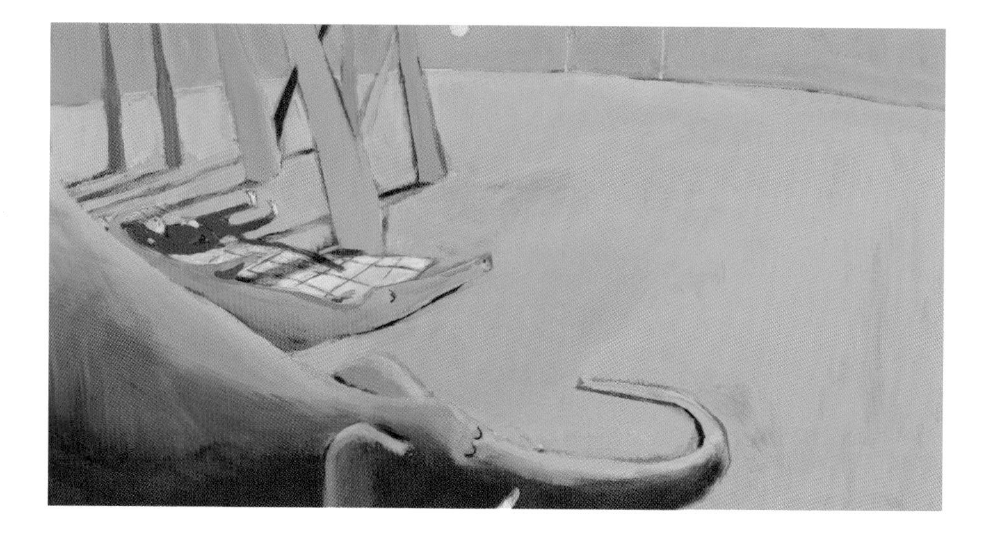

Les mamans avaient un urgent, un indispensable, un irrépressible besoin de faire la sieste.

Alors, chacune recommanda à ses petits :

– Surtout soyez sages ! Je vais au bout de ce chemin me dégourdir les pattes et je reviens.

Elles marchèrent et s'installèrent dans une belle oasis.

Là elles firent une paisible, une délicieuse, une interminable sieste.

**Hum, quel plaisir !**

Cette sieste dura longtemps, très longtemps, si longtemps... que la nuit commençait à tomber quand elles ouvrirent l'œil.

Honteuses d'avoir été si paresseuses, inquiètes pour leurs petits chéris, elles voulaient foncer, foncer les retrouver!

Mais dans l'obscurité, elles aperçurent des ombres qui rôdaient autour d'elles!

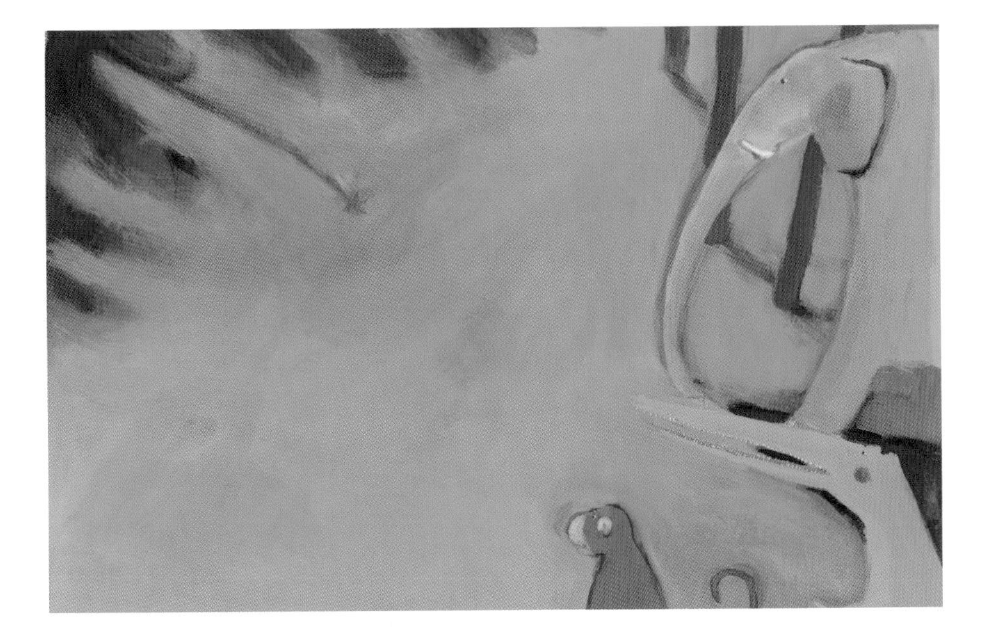

Les mamans s'apprêtaient à se défendre. Mais elles entendirent un éclat de rire, neuf fois joyeux:
– Maman, c'est nous!

Malgré les ennuis, malgré la distance, malgré les dangers, et sans leurs mamans, les trois crocos, les trois éléphanteaux et les trois petits singes étaient arrivés jusqu'à l'oasis.
Et leurs mamans furent bien étonnées de découvrir qu'ils n'étaient plus si petits...

Et c'est depuis que, chaque jour,
les trois mamans aussi font
la sieste, une sieste… royale!
Quel régal!

# 10.

# Le méchant loup du soir

Martine Guillet, illustrations de Gilles Frély

– Maman! Maman! Le grand méchant loup s'est caché sous mon lit! hurle Vincent. Je vois ses grands méchants poils!
– Mais non, Vincent! dit Maman. Regarde bien, c'est ton gros ours en peluche. Tu l'as oublié là-dessous… Calme-toi, il est l'heure de dormir maintenant.

– Maman ! Maman ! Le grand méchant loup s'est caché derrière la porte ! hurle Vincent. Je vois sa grande méchante bouche. Il veut me manger !
– Mais non, Vincent ! dit Maman. Regarde, ce n'est que ton peignoir. Il est mal accroché au portemanteau ! Allez, maintenant il est temps de dormir.

– Maman! Maman! Le grand méchant loup du soir s'est caché dans mon placard! hurle Vincent. Je vois ses grands méchants yeux.
– Mais non, Vincent! dit Maman. Regarde mieux. Dans ton placard, il n'y a que tes jouets. Tu ne les as pas bien rangés.

– Maman ! Maman! Le grand méchant loup...
– Ah! ça suffit! dit Maman. Il n'y a pas de grand méchant loup dans la maison. Ni dehors ni ailleurs.
– Mais si! crie Vincent. Regarde encore une fois!

– Enfin, dit Maman en prenant son petit garçon dans ses bras, le grand méchant loup n'existe pas! Il n'existe que dans les livres. Ici, il n'y a personne!

– Mais quand je vais me coucher, je l'entends. Il remue derrière le mur.
– Ah ! c'est Papa qui travaille. Il range ses affaires dans le bureau.
– Mais quand je m'endors, je l'entends. Il marche tout doucement dans le couloir.
– C'est ton frère qui ne fait pas de bruit. Il ne veut pas te réveiller !
– Mais quand je dors, je l'entends. Il ouvre ma porte. Il marche dans ma chambre. Il vient à côté de mon lit.
– Mais c'est moi, dit Maman en riant. Tous les soirs, avant de me coucher, je viens voir si tu dors bien. Je te couvre, je te fais un bisou. Je ne suis pas le grand méchant loup !

Maintenant, Vincent est rassuré dans les bras de sa maman. Il est bien content d'avoir encore un câlin. Il n'a plus peur du tout.
– Tu sais, dit Maman, le grand méchant loup n'existe pas. Mais je connais le tout petit loup. C'est un coquin.
– Le tout petit loup ? demande Vincent très étonné. Mais qu'est-ce qu'il fait celui-là ?

– Il laisse traîner ses jouets par terre.
– Comme moi! dit Vincent tout content. Et quoi encore?
– Il accroche mal ses vêtements au portemanteau!
– Ah! dit Vincent. Et... quoi encore?
– Il ne range pas ses affaires dans son placard!
– Hum! fait Vincent inquiet. Alors sa maman n'est pas contente. C'est vraiment un coquin! Est-ce qu'il mange celui-là?
– Tous les soirs, dit Maman, il appelle sa maman pour avoir de gros câlins, et il la dévore de bisous.

– Moi aussi j'aime les câlins et les bisous, dit Vincent. Et où il est… ce tout petit loup?
– Il est là, dans mes bras! C'est toi, mon petit loup adoré!

# 11.

# Drôle de nuit chez les ours

Geneviève Noël, illustrations de Chantal Cazin

Ce soir-là, Papa Ours rentre du travail en traînant la patte.
Il dit à toute la famille réunie :
– Je suis fatigué, je vais aller me coucher. Surtout... ne faites pas de bruit! Ça pourrait me réveiller.

Vite, il dévore sa tartine de miel, et se lave les dents.

Encore plus vite il enfile son pyjama, puis il saute dans son lit… et Rrrr… s'endort en une minute.

– Chuuut ! bourdonnent les mouches. Surtout pas de bruit, Papa Ours dort.
Alors, Pipa l'oursonne range son tambour dans le placard ; Bonbon l'ourson glisse sa trompette dans un tiroir.
Puis les deux oursons disent tout bas :
– Maman, donne-nous un petit bisou. Ensuite, on fera un gros dodo comme Papa.

Sans réfléchir : Smok ! Maman Ourse embrasse ses oursons…

Et l'énorme bisou résonne dans toute la maison.
Heureusement, Papa Ours continue à ronfler.

À ce moment, Plic ploc ! le robinet se met à couler,
et Toc toc ! le volet frappe contre le carreau de la fenêtre.
Le cœur battant, Maman Ourse ferme le robinet, elle rabat le volet,
puis elle tend l'oreille.
Ouf de ouf, Papa Ours continue à ronfler.

Maintenant, il est minuit. Tout le monde dort dans la maison des ours bruns…
Quand, tout à coup, le vent se met à siffler, la pluie à tomber, le tonnerre à gronder.

Alors, tout le monde se réveille dans la maison des ours bruns.

Tout le monde, sauf Papa Ours, qui Rrrr... ronfle dans son lit bien chaud.
Grognant de terreur, Bonbon l'ourson attrape son camion rouge et Boum ! il bondit sur le ventre de Papa Ours, qui Rrrr... continue à ronfler.

Pleurant à chaudes larmes, Pipa l'oursonne prend sa poupée chérie et Hop ! elle saute dans les bras de Papa Ours, qui Rrrr... continue à ronfler.

Maman Ourse met son oreiller sur sa tête. Elle se glisse à côté de Papa Ours, qui Rrrr... continue à ronfler.

Mini la souris jaillit de son trou avec ses douze souriceaux pendus à sa queue. Elle atterrit sur les pattes de Papa Ours, qui Rrrr... continue à ronfler.

Le lit grince, il gémit, il plie, mais il tient bon.
À cet instant, Aglaé descend de sa toile d'araignée et elle se pose tout doux sur le nez de Papa Ours, qui Rrrr... continue à ronfler.

D'un seul coup, il y a vraiment trop de monde dans le lit de Papa Ours.
Alors Craaac ! le lit se casse en quatre, et Boum badaboum ! tout le monde se retrouve par terre.

Mais qui Rrrr... continue à ronfler, tranquillement dans son lit cassé en quatre ?
C'est Papa Ours !

# 12.

# Les petites lumières de la nuit

Kochka, illustrations de Freddy Dermidjian

C'est le soir autour des fenêtres de la maison de Guillaume.
Dehors, les belles couleurs disparaissent.
Quand l'arbre du jardin n'est plus vert, et que la pivoine n'est plus rouge, Guillaume sait que sa journée est presque terminée.

D'ailleurs, il a fini son dîner; il a pris son bon bain chaud; il a brossé ses dents… et il a mis son pyjama doux et bleu.

Mais Guillaume n'aime pas quand il faut aller dormir. Alors…
– Va-t'en le noir! dit-il en envoyant ses mains comme un petit magicien.
Puis en chaussons, il se faufile dans toutes les pièces de la maison, et il allume tout partout!

Pendant ce temps, Papa et Maman sont assis au salon.
« Je n'ai pas sommeil, pense Guillaume. Il ne faut pas qu'ils m'entendent... »
Et il ne fait pas de bruit.

Hélas! la voix de Maman arrive jusqu'à ses oreilles. Elle crie :
– C'est bientôt l'heure, Petit Guismo!
Mais Guillaume ne répond pas. Pourtant, Petit Guismo, c'est bien lui. Sa maman l'appelle comme ça.

Puis, la voix de Papa jaillit :
– On te parle, Guignolo! C'est bientôt l'heure!

Mais Guillaume se tait encore. Pourtant, Guignolo, c'est bien lui. Son papa l'appelle comme ça.

Maman se lève et elle vient voir.
– Qu'est-ce que tu fais, Petit Guismo?
Maman regarde dans le placard, et elle se penche sous le lit. Mais Petit Guismo n'est nulle part.
Maman va voir derrière le rideau, et hop! elle attrape Petit Guismo, qui essaye de s'enfuir comme un affreux chenapan!

– Ça y est, c'est l'heure mon oiseau.
– Non, supplie Petit Guismo, encore un peu s'il te plaît.
– D'accord, répond Maman, mais tu as seulement cinq minutes.

– Bon, dit Petit Guismo, alors vite vite, je vais jouer aux Lego !
– Non, répond Maman. Ce n'est plus l'heure des constructions ; la chambre est très bien rangée.
– Bon, dit Petit Guismo, alors vite vite, je vais faire un combat de chevaliers dans mon château !

– Non, répond Maman. Ce n'est plus l'heure des combats ; les chevaliers sont endormis.
– Bon, dit Petit Guismo. Alors Maman, c'est l'heure de quoi ?

Maman se penche en souriant.
– C'est l'heure de mettre la maison en sommeil, Petit Guismo. Est-ce que tu veux bien qu'on éteigne les lumières que tu as allumées partout ?
– D'accord, répond Petit Guismo.

Et Maman et Petit Guismo commencent le tour de la maison.

D'abord, Petit Guismo éteint la salle de bains.
– Bonne nuit petite baignoire qui lave les corps et les pieds.

Puis Petit Guismo éteint le cagibi.
– Bonne nuit aspirateur grosse trompe qui adore manger la poussière.

Puis Petit Guismo éteint la cuisine.
– Bonne nuit Frigidaire, où il fait froid comme en hiver.

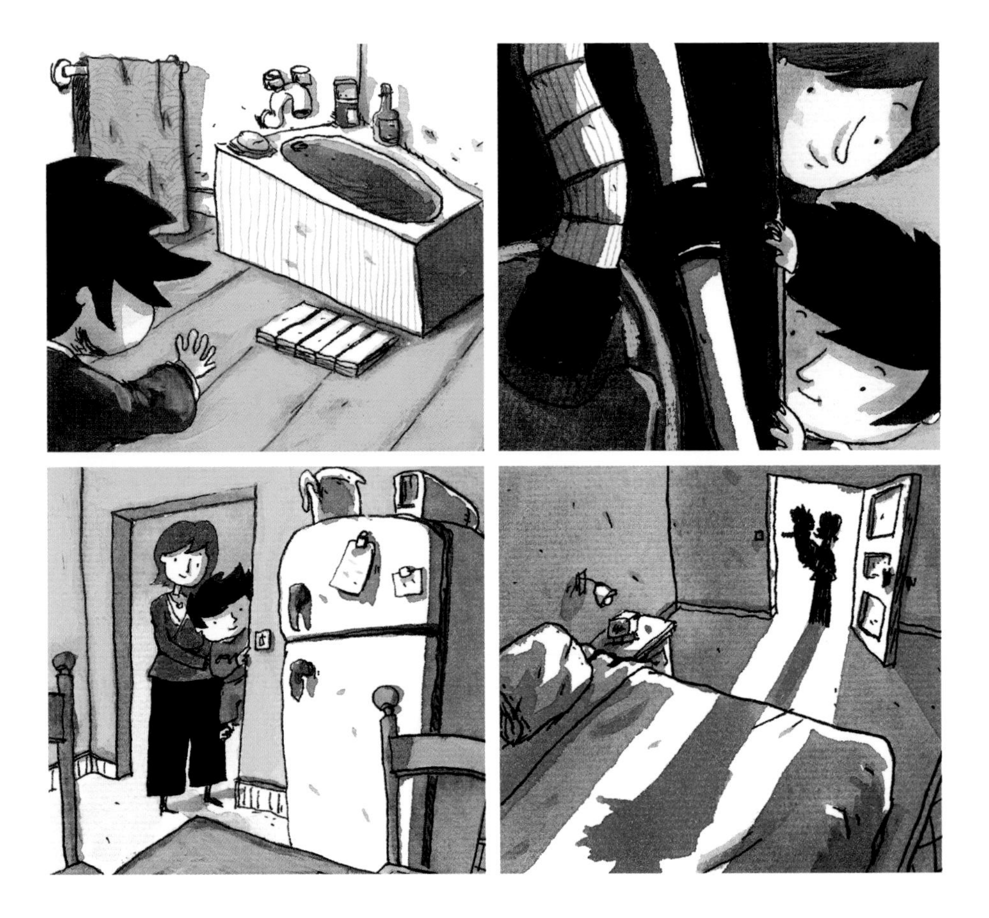

Puis Petit Guismo éteint la chambre de Papa et Maman.
– Bonne nuit grand lit de Papa et Maman, où je viens le dimanche matin.

Puis Petit Guismo se couche dans son lit, et Maman éteint la lumière.
– Bonne nuit mon Petit Guismo, dans ton petit lit tout chaud.
Papa arrive à son tour ; il ouvre un bout du rideau.
– Dors bien Petit Guignolo. Les lumières du ciel sont allumées tout en haut.

# 13.

# Quand Coulicoco dort

Paul François et Pierre Chaplet, illustrations de Kersti Chaplet

Il fait si chaud, Coulicoco a tant joué, tant couru, tant mangé, qu'il s'est couché dans son hamac après le déjeuner, et qu'il s'est endormi à l'ombre des figuiers.

Quand Coulicoco dort, il ne faut pas le réveiller.
Car si quelqu'un le réveillait, nul ne sait ce qui pourrait arriver.
Sa maman fait la lessive.
Son papa va vendre des melons au marché.
Nul ne songe à réveiller Coulicoco.

Une mouche pourtant bourdonne à son oreille, des cochons grattent, reniflent et grognent, mais rien ne réveille Coulicoco.
Soixante-quatorze fourmis font l'escalade du figuier pendant que dort Coulicoco.
Très loin, près du grand fleuve, seize hippopotames vont se baigner pendant que dort Coulicoco.
Plus loin, plus loin encore, dans la mer immense, vont et viennent mille et mille poissons pendant que dort Coulicoco.

Coulicoco a dormi longtemps, très longtemps, puis il s'est levé tout seul… et il s'en va vers le village.

Et si quelqu'un l'avait réveillé, que serait-il arrivé?

*Sa maman n'aurait peut-être pas fini sa lessive.*
*La mouche n'aurait pas volé si près de lui.*
*Les cochons se seraient sauvés…*
*Les fourmis n'auraient peut-être pas osé grimper sur le figuier.*

*Mais, cela n'aurait pas empêché*
*les hippopotames de se baigner dans le fleuve,*
*ni les poissons de nager dans la mer,*
*ni la terre de tourner autour du soleil,*
*ni les alouettes de chanter dans le ciel,*
*ni les enfants de jouer à l'ombre des maisons.*

Et quand Coulicoco arrive à la maison, son papa est rentré du marché, sa maman prépare le goûter. Coulicoco aura encore le temps de s'amuser avec les enfants du village et de rire jusqu'au dîner.

14.

# C'est mon nid !

Marie-Hélène Delval, illustrations de Hervé Le Goff

Un matin de printemps, Loly la lutine trouve un petit œuf gris sur la mousse.

– Oh! un œuf tombé d'un nid! Pauvre petit, je vais m'en occuper.

Elle met l'œuf dans son tablier, elle l'emporte jusqu'à sa maisonnette, elle lui fabrique un petit nid avec des brindilles, de la mousse et un peu de duvet dans son oreiller.

Elle dépose l'œuf dedans, elle le recouvre d'une bonne couverture bien chaude. Et voilà !

Trois jours plus tard, **tac tac tac**, la coquille se fend et un bébé moineau apparaît, qui crie aussitôt :

– Piu piu piu !

– Voilà, voilà, répond Loly.

Du matin au soir et du soir au matin, elle court, elle va, elle vient pour nourrir Petit-Moineau. Loly la lutine est bien fatiguée. C'est toujours comme ça avec les bébés.

Mais enfin Petit-Moineau grandit bien, et bientôt il volette de-ci de-là, et il commence à manger tout seul.

Ouf ! Loly peut enfin se reposer.

Le soir, elle couche Petit-Moineau dans son nid. Elle lui raconte une histoire, elle lui fait un baiser, et puis elle va se coucher.

Mais, une nuit, Loly est réveillée par un petit bruit de petites pattes : **tap tap tap**, et quelqu'un vient se fourrer dans son lit. C'est Petit-Moineau.
Loly grogne :
– Quoi, qu'est-ce qu'il y a? Tu as fait un cauchemar, ce n'est rien! Retourne dans ton nid, Petit-Moineau.

Mais Petit-Moineau ne veut pas. Il reste là, blotti dans le lit de Loly. Loly est obligée de se lever pour le porter dans son nid.

La nuit suivante, **tap tap tap**, Petit-Moineau vient encore se fourrer dans le lit de Loly.
Et la nuit d'après, et encore la nuit d'après.

Loly la lutine en a vraiment assez.
Au bout d'un mois, elle bâille toute la journée, elle a les yeux cernés, elle est de mauvaise humeur et elle ne sait plus quoi faire pour convaincre Petit-Moineau de rester dans son nid la nuit.

Elle a tout essayé : elle l'a grondé, elle lui a chanté des chansons, elle lui a donné du sirop, elle lui a donné une fessée. Rien n'y fait. Petit-Moineau ne veut pas rester dans son nid la nuit. Il veut toujours venir dans le lit de Loly.

Un matin, Loly la lutine dit :
– Petit-Moineau, te voilà déjà grand. Cela fait trois mois que tu es sorti de ton œuf. Pour ton anniversaire, j'ai invité des petits copains de la forêt !

Et l'après-midi, arrivent Petit-Lézard et Petit-Mulot, Rainette et Petit-Crapaud, et même Ti-Escargot et ses sept frères.

D'abord, Petit-Moineau est content. Loly leur a fait un goûter, ils jouent aux devinettes, aux galipettes.

Puis ils rentrent dans la maisonnette et les copains découvrent le nid de Petit-Moineau.

Ils s'écrient :
– Oh ! c'est ton nid ? On peut monter dedans ? Ah ! c'est doux ! Ah ! c'est drôle !
Et tous les petits animaux se mettent à chahuter, à sauter, à se bousculer. Les duvets s'envolent, les brindilles craquent, voilà le nid tout défait.
Petit-Moineau est furieux. Il gonfle ses plumes et il crie :
– Ça suffit ! Sortez de là ! C'est mon nid, vous entendez, C'EST MON NID !

Ce soir-là, Loly couche Petit-Moineau dans son nid. Elle lui raconte une histoire, elle lui fait un baiser. Et puis elle va se coucher. Petit-Moineau s'endort.

Mais, au milieu de la nuit, il s'agite, il ouvre un œil, il sort du nid, il s'approche du lit de Loly, **tap tap tap**.

Alors il voit un écriteau devant le lit. Un rayon de lune l'éclaire à demi. Dessus, en grosses lettres, il y a écrit:
«C'est mon lit!».

Petit-Moineau reste une patte en l'air. Il ne sait plus très bien quoi faire.
Et puis, sans faire de bruit, il retourne à petits pas dans son nid. Il se fourre dans le duvet doux, il tire sa chaude couverture sur lui. Et puis, tout bas, il soupire :
– Hmmm, c'est MON nid !

Chut ! Petit-Moineau s'est endormi.

# 15.

# Le mouchoir de Benjamin

Jacqueline Girardon, illustrations de Catherine Mondoloni

Benjamin habitait avec Maman et Papa Lapin, monsieur et madame Radirose. Du fond du terrier, on entendait souvent Benjamin appeler :

– Maman, où es-tu ?

– Je suis là, mon petit lapin, dans la cuisine, je prépare le repas.

– Maman, où es-tu ?

– Je suis là, mon petit lapin, dans la chambre, je secoue la couette de ton lit.

– Maman, où es-tu ?

– Dans la salle à manger, mon petit lapin, je mets le couvert pour l'arrivée de Papa.

Benjamin trottinait derrière Maman, et ne la quittait pas d'une longueur de patte.
Cependant Benjamin allait à l'école des bêtes du village, et se rendait parfois chez ses petits amis pour jouer. Hors du terrier familial et loin de sa maman, Benjamin ne se sentait pas toujours rassuré. Le monde est si vaste et peuplé de créatures si diverses! Aussi, Benjamin avait-il un remède miracle, une recette à lui, pour se rassurer. Il gardait toujours au fond de sa poche... un mouchoir de Maman Lapin, un petit mouchoir brodé qui avait l'odeur de Maman Lapin. C'était merveilleusement efficace !
C'était très efficace aussi pour s'endormir le soir. À tel point que Benjamin n'envisageait même pas de s'en passer.

Il advint qu'un jour, monsieur et madame Radirose furent invités à un grand bal. Tous deux adoraient la danse, aussi décidèrent-ils de s'y rendre.
Pour cette occasion, madame Radirose avait mis sa plus belle robe : une robe en velours frisson, vert pistache, avec laquelle, pour sûr, elle ne passerait pas inaperçue. Tout emperlée de colliers et de bracelets, parfumée et poudrée, Maman Lapin était superbe.
Monsieur Radirose avait mis sa chemise à petits pois, et sa jaquette de cérémonie en peau de taupe. Benjamin eut la bonne idée de lui glisser un œillet rose à la boutonnière.
Benjamin était très fier de ses parents.

Juste avant leur départ, Grand-Mère Lapin arriva, tout essoufflée, pour garder Benjamin. Elle les complimenta, et leur dit que cela lui rappelait le temps où elle allait danser.
Après l'affairement des préparatifs, Benjamin se retrouva seul avec Grand-Mère Lapin.

Il aimait bien sa Grand-Mère Lapin, pourtant le terrier lui parut vide et dépeuplé. Il plongea la patte dans sa poche.
Catastrophe ! Le petit mouchoir n'y était pas.
– Grand-Mère Lapin, il faut chercher mon petit mouchoir.

On fouilla le terrier de fond en comble. Pas de petit mouchoir ! Par contre, on retrouva... le livre de recettes de Maman Lapin derrière le vaisselier. Sous le fourneau, les petits ciseaux à broder. La pipe de Papa Lapin sous le lit.

Grand-Mère Lapin proposa un autre petit mouchoir, bien propre et bien repassé, qu'elle tira de l'armoire. Mais Benjamin était formel : ce n'était pas le petit mouchoir magique qui avait l'odeur de Maman Lapin.

Ils cherchèrent sur le pré devant le terrier. Pas de petit mouchoir! Il était peut-être chez la chatte madame Mistouflette? Benjamin avait joué l'après-midi avec le petit Mistouflet.
On fouilla partout chez les Mistouflet... Pas de petit mouchoir! Par contre on retrouva l'écharpe de Benjamin.

Puis ils allèrent à la maison des écureuils. Benjamin avait joué avec la petite Amandine, la dernière-née de la famille.
On retourna toute la maison. On alla voir sous l'arbre qui servait de balançoire... Pas de petit mouchoir! Mais on retrouva une moufle de Benjamin.

Ils allèrent ensuite chez monsieur et madame Tirbouchonet. Ils avaient trois petits cochons très polissons qui auraient bien pu s'emparer du petit mouchoir pour faire une farce à Benjamin.
On regarda jusque dans les recoins les plus sombres de la maison... Pas de petit mouchoir! Mais on retrouva le bonnet de Benjamin.
Très déconfits, Grand-Mère et Benjamin rentrèrent à la maison.

– Que de choses retrouvées, dit Grand-Mère Lapin, en posant sur la table l'écharpe, la moufle et le bonnet. Et maintenant, il est l'heure d'aller au lit.
– Je ne peux pas m'endormir sans mon petit mouchoir, dit Benjamin.

Au fond de son lit, Benjamin cherchait le sommeil, quand il aperçut sur le plancher de la chambre une petite souris qui portait sur son dos quelque chose de blanc roulé en boule.
– J'ai trouvé un joli mouchoir brodé qui a l'odeur de madame Radirose. Il était juste devant mon terrier, à l'entrée de votre cave. Je devais bientôt avoir des petits. Ce mouchoir aurait fait un superbe drap de berceau pour mes souriceaux, mais je suis une honnête souris, et je viens vous le rapporter.
– Merci beaucoup madame Souris, dirent en chœur Benjamin et Grand-Mère Lapin, nous sommes heureux de faire votre connaissance.

Grand-Mère Lapin ajouta :
– Je vais choisir un autre petit drap tout propre, pour vos souriceaux, et je leur tricoterai des brassières en poils de lapin.
Grand-Mère Lapin alla chercher dans l'armoire un autre petit mouchoir qui sentait la lavande, et l'offrit à madame Souris.
Benjamin proposa de garder les souriceaux lorsque madame Souris irait au bal.
Benjamin s'endormit très vite avec son petit mouchoir retrouvé. Il fit un rêve merveilleux, musical et coloré. Il était, lui aussi, invité au bal et dansait la polka avec Maman Lapin. Elle était si belle que tout le monde l'admirait. Papa faisait danser Grand-Mère Lapin. Elle était ravie parce que cela lui rappelait le bon vieux temps ! Madame Souris vint présenter ses souriceaux aux invités. Elle en était très fière : il y en avait au moins douze ! La salle de bal était décorée de petits mouchoirs. Il y en avait... il y en avait...
Son petit mouchoir bien serré dans sa patte Benjamin sourit en dormant...

# 16.

# Attrape-moi sommeil !

Sylvie Poillevé, illustrations de Sébastien Pelon

Le soir pour s'endormir, Léon, le petit garçon, chantonne :
**Un, deux, trois... sommeil,**
**Un, deux, trois moutons,**
**Tontaine...**

Comme le sommeil ne vient pas, Léon chante encore une fois :
**Un, deux, trois... sommeil,**
**Un, deux, trois moutons,**
**Tontaine...**

Et voilà que dans la nuit, trois petits moutons sautent devant lui.
– Vous êtes si jolis ! s'exclame Léon.
Tout surpris, le premier mouton recule.
Le deuxième et le troisième se bousculent.

– Recommençons ma chanson, soupire Léon.
– Ah non, pas question ! rouspètent les moutons.
Toujours sauter, courir pour que tu puisses t'endormir… On en a assez !
Essaie plutôt de nous attraper !

Poursuivis par Léon, trois petits moutons bondissent de prés en collines, de collines en prés, roulent dans l'herbe.
Ils se mettent à chanter :
**Un, deux, trois... sommeil...**
**Tu ne vas pas nous attraper !**

Mais le premier mouton est tellement petit ! Il est vraiment fatigué de courir ainsi.
Bercé par le chant des abeilles, Bzzz, bzz zzz... il s'écroule de sommeil.

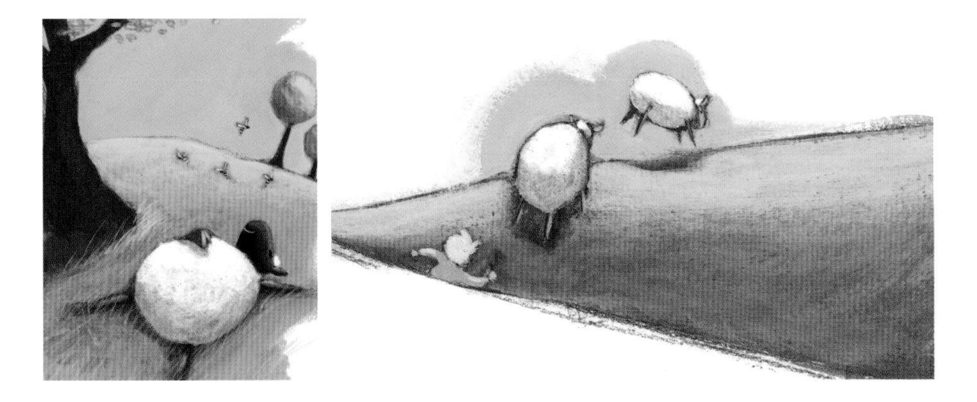

Poursuivis par Léon, deux petits moutons continuent de chanter :
**Un, deux, trois... sommeil...**
**Tu ne vas pas nous attraper !**
Rouli-roula... Le deuxième mouton roule tout en bas de la colline.
Rouli-roula... Bercé par le doux bruit des vagues, ses yeux se ferment déjà.

Poursuivi par Léon, le dernier petit mouton se met à chanter :
**Un, deux, trois... sommeil...**
**Tu ne vas pas m'attraper !**

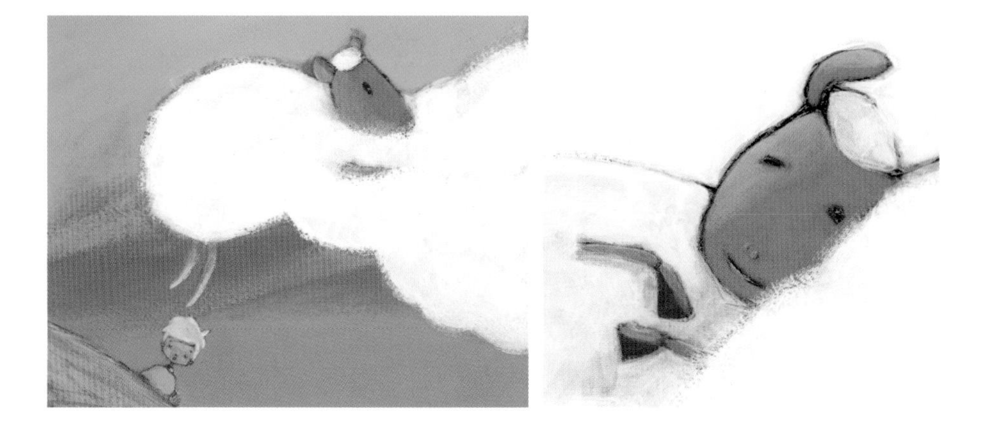

Il bondit au creux des nuages pour se cacher.
Bercé par le vent, il s'endort également.
Léon n'a plus de moutons à attraper!
Et lui aussi est fatigué!
Il bâille une fois...
Il bâille deux fois...

Il chantonne devant ses trois moutons endormis :
**Un, deux, trois... sommeil,**
**Un, deux, trois moutons,**
**Tontaine...**

Et le petit garçon s'endort, enroulé comme une pelote de laine.

17.

# Bonne nuit, Gaston !

Agnès Bertron-Martin, illustrations de Gérard Franquin

Le matin, Gaston le marmotton est toujours le premier à sortir du terrier pour jouer dans les prés. Il appelle ses trois frères :

– Venez jouer à saute-marmotte !

**Hop ! hop ! hop !** C'est Gaston qui saute le mieux. Il adore ce jeu !

Mais voilà l'un de ses frères qui gâche tout en disant:
– Regarde, Gaston, la plume que j'ai trouvée. Je la mettrai dans mon lit! Vivement qu'il fasse nuit. Ce sera doux de s'endormir avec une plume aussi jolie…
Gaston fronce le museau.
«Il ne peut pas se taire, celui-là! Quelle idée d'avoir envie de se coucher quand on vient de se lever! Moi, je ne suis pas pressé de dormir.»

Alors, Gaston dit :
– Et si on jouait à marmotte-qui-roule ?
Et **Hop !** Voilà les marmottons qui courent jusqu'aux grands hêtres, et s'élancent dans la pente.
Gaston roule à toute allure, mais, quand il arrive en bas en riant aux éclats, son deuxième frère vient tout gâcher en disant :
– Regarde Gaston, la belle mousse que j'ai trouvée ! Ce soir, ce sera mon oreiller ! Vivement qu'il soit l'heure de se coucher !
« Mais ils ne parlent que de dormir,
ces marmottons !
C'est énervant à la fin »,
se lamente Gaston.

Gaston ne veut surtout pas penser à la nuit qui va arriver. Lui, il voudrait qu'il fasse toujours soleil, et que ce ne soit jamais le moment de dormir.

– Allons à la rivière, propose-t-il. Nous jouerons à marmotte éclaboussée !
Mais sur le chemin, son troisième frère vient le voir :
– Gaston, respire ce serpolet ! J'en ai arraché une poignée pour parfumer mes draps. Ce sera délicieux de dormir dans un lit qui sent bon…

Gaston tremble de colère. Son frère continue :
– Avec des draps qui sentent bon, on fait de jolis rêves.
Les marmottons racontent leurs plus beaux rêves, sauf Gaston : la nuit, il ne fait que des cauchemars.
Alors, arrivés à la rivière, **Plouf, plouf, plouf !** Gaston pousse ses frères à l'eau au lieu de les éclabousser, et il s'enfuit.

Gaston s'est caché dans le bois.
– Je serai bien tranquille sans ces imbéciles !

Le soleil s'est couché. Mais Gaston n'ose pas rentrer. Il a peur de se faire gronder.
Et maintenant, il fait nuit. C'est la première fois que Gaston voit les étoiles s'allumer, et la lune se lever.
« C'est beau la nuit, se dit-il. Il fait moins noir ici que dans le terrier. Si seulement, de mon lit, je voyais un peu de ciel, j'aurais moins peur... »

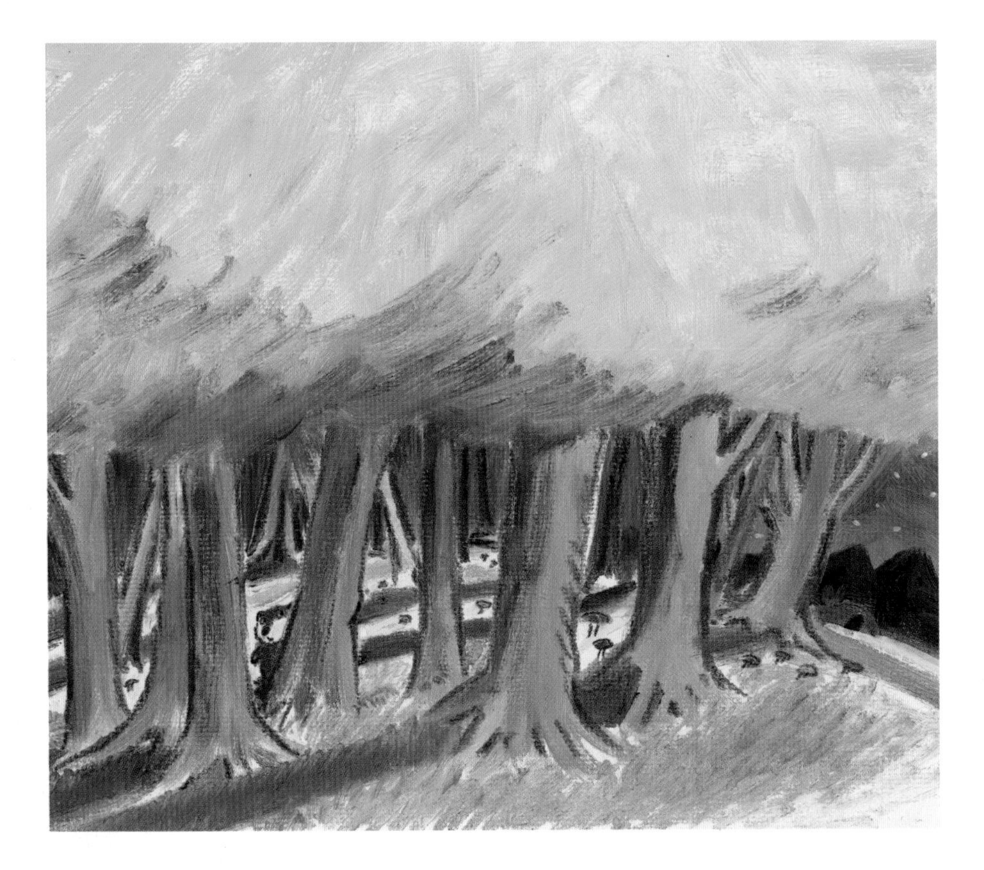

Soudain, Gaston entend des sifflements inquiets. Ce sont ses parents et ses frères qui le cherchent. Alors Gaston fonce se jeter dans leurs bras. Tout le monde est heureux de le retrouver.

Sur son lit, ses frères ont déposé la plume, l'oreiller de mousse et le bouquet de serpolet. Et ses parents ont percé dans le plafond du terrier, juste au-dessus de sa tête, un trou assez grand pour laisser passer la lumière d'une étoile.

Alors Gaston s'est endormi, rassuré.

Et, pour la première fois, il a fait de très beaux rêves.

# 18.

# La nouvelle chambre de Titou

Sylvie Poillevé, illustrations de Madeleine Brunelet

Titou aime sa chambre au papier bleu, sa petite ferme pleine d'animaux, et son joli tableau où quatre éléphants se suivent à la queue leu leu.

Titou aime se pelotonner dans son lit bateau entre son lapin blanc et son petit agneau, avec sa couverture aux légères vagues bleutées bien remontée jusqu'au nez.

Mais ce que Titou aime par-dessus tout, c'est le gros soleil rouge qui se couche tous les soirs comme lui et semble lui dire bonsoir de l'autre côté de sa fenêtre.
Alors Titou s'endort le sourire aux lèvres…

Rêve, Titou rêve… de jouer à saute-mouton par-dessus le soleil qui roule comme un ballon.
Rêve, Titou rêve… du soleil doré, du soleil parfumé dans lequel, comme dans une galette, il va croquer.

Mais ce matin, vite, vite, il faut tout ranger : sa ferme, son tableau, son lapin, son agneau !...
Vite, vite, il faut tout mettre dans de grands cartons qui vont partir vers sa nouvelle maison.

Dans sa nouvelle maison, sa chambre est plus grande, mais il y a le même joli papier bleu et toutes ses petites affaires qu'il aime. Titou est heureux. Il a bien son agneau, son lapin blanc...
Pourtant, catastrophe! Pas de gros soleil rouge pour lui dire bonsoir de l'autre côté de sa fenêtre. La nuit est noire! Quel cauchemar! Où est parti le soleil?

Titou se retourne mille fois dans sa couverture aux légères vagues bleutées avant de s'endormir épuisé.

Rêve, Titou rêve... vilain rêve d'une course folle derrière le soleil qui s'enfuit.

Quand Titou se réveille, triste et fatigué, une belle surprise l'attend de l'autre côté de sa fenêtre. Un gros soleil rose vient de se lever !...